BUR

Nessun luogo è lontano

Richard Bach

Nessum luogo è lontano

illustrazioni di RON WEGEN
traduzione di PIER FRANCESCO PAOLINI

Biblioteca Universale Rizzoli

Published by Arrangement
with Delacorte Press
and Eleanor Friede Books
Dell Publishing Co. Inc., N.Y. U.S.A.

ISBN 88-17-13489-9

Titolo originale dell'opera:
THERE'S NO SUCH PLACE AS FAR AWAY

prima edizione BUR: luglio 1982
nona edizione BUR: novembre 1990

Nessun luogo è lontano

Rae, cara! Grazie per avermi
invitato per il tuo compleanno!
La tua casa è distante mille miglia dalla mia,
e io son uno che si mette in viaggio
solo quando ne vale la pena. Ebbene, ne
val proprio la pena, se si tratta
di prender parte alla tua festa. Non vedo
l'ora d'essere da te!

Il mio viaggio è cominciato dentro il
cuore di un piccolo uccello,
un colibrì, che conoscemmo insieme,
io e te, tanto tempo fa. Lo trovai cordiale
come sempre, anche stavolta.
E tuttavia — quando gli dissi che la piccola
Rae stava crescendo e che io stavo
andando alla festa per il suo compleanno
con un regalo — lui rimase perplesso.
Per un pezzo badammo a volare in silenzio,
e alla fine lui mi disse: « Ci capisco
ben poco, in quel che dici, ma men che
mai capisco come mai tu ci *vada*,
a questa festa ».

«Ma sicuro che ci vado, alla festa,» dissi io. «Cos'è che ti riesce tanto difficile da capire?» Lui non rispose niente, lì per lì, ma quando arrivammo alla casa del gufo, mi disse: «Può forse una distanza materiale separarci davvero dagli amici? Se tu desideri essere da Rae, non ci sei forse già?».

«La piccola Rae sta crescendo,
e io vado alla festa per il suo compleanno
con un regalo,» dissi al gufo.
Mi parve strano dire *vado*, è vero, dopo
quanto mi aveva detto il colibrì,
ma lo stesso mi espressi in quel modo,
perché Gufo mi capisse. Lui pure restò zitto
per un pezzo, seguitando a volare.
Un silenzio tutt'altro che ostile. Ma,
quando mi ebbe condotto
sano e salvo a casa dell'aquila, così mi parlò:
«Ci capisco ben poco in quel che
dici, ma men che mai capisco perché la
chiami *piccola*, la tua amica».

«Ma sicuro ch'è piccola,» dissi, «dal momento che non è ancora grande. Cos'è che ti riesce tanto duro da capire?» Gufo allora mi guardò, coi suoi occhi profondi color ambra, mi sorrise e mi disse: «Pensaci su».

«*L*a piccola Rae sta crescendo,
e io vado alla festa per il suo compleanno
con un regalo,» dissi all'aquila.
Mi faceva un po' specie, veramente, dire
vado e dire *piccola*, dopo quanto
mi avevano detto Colibrì e Gufo, ma lo stesso
mi espressi in quel modo, affinché
Aquila potesse capirmi. Insieme volammo
al di sopra delle vette, a gara
con i venti di montagna. Alla fine lei
mi disse: «Ci capisco ben poco in quel che
dici, ma men che mai capisco la parola
compleanno».

«Ma sicuro: compleanno,» dissi io.
«S'intende festeggiare il giorno in cui
ebbe inizio la vita di Rae,
e prima del quale lei non c'era. Cosa c'è
di tanto difficile da capire, in questo?»
Aquila allora incurvò le ali e, dopo
una picchiata ripidissima, atterrò con dolcezza
su una roccia, nel deserto. «Ci sarebbe
stato un tempo *anteriore* alla nascita di Rae?
Non pensi, piuttosto, che la vita
di Rae sia cominciata prima ancora che
il tempo esistesse?»

«*L*a piccola Rae sta crescendo e io
vado alla festa per il suo compleanno
con un regalo.» Così dissi anche a Falco.
Mi suonava un po' strano tuttavia
dire *vado*, dire *piccola* e *compleanno*, dopo
quanto avevo udito da Colibrì,
da Gufo e Aquila, tuttavia così mi espressi
perché Falco mi capisse.
Sorvolammo veloci il deserto, e alla fine
lui mi disse: «Sai, capisco ben
poco di ciò che mi dici, ma meno di tutto mi
spiego quel tuo *sta crescendo*».

«Ma sicuro che Rae sta crescendo,» dissi io. «Adesso è più vicina all'età adulta, e un anno più lontana dall'infanzia. Cosa c'è di tanto arduo da capire, quanto a questo?» Falco alfine atterrò su una spiaggia solitaria. «Un anno più lontana dall'infanzia? Non mi sembra che questo sia crescere!» Si sollevò di nuovo in volo e, di lì a poco, scomparve.

Il gabbiano, lo so, era molto saggio.
Volando insieme a lui, riflettei bene
prima di parlare e scelsi con cura le parole,
dimodoché capisse che qualcosa
pur avevo imparato. « Gabbiano, » gli
dissi alla fine, « perché mi porti in volo da
Rae, quando sai che in realtà io
già sono con lei? »

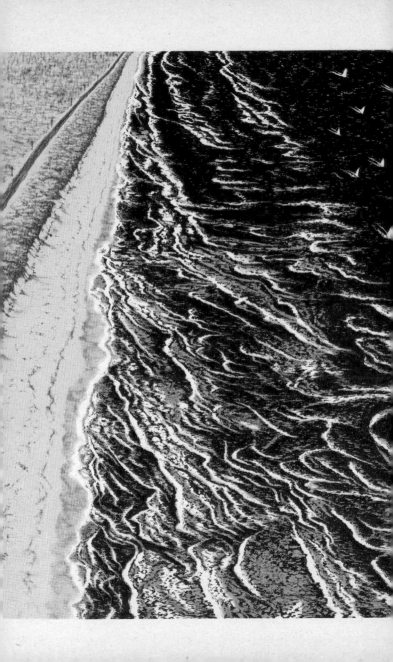

*D*i là dal mare, di là dai monti,
finalmente il gabbiano calò e si posò sopra
il tetto di casa tua. « Perché
l'importante, » mi disse, « è che tu sappia
la verità. Finché non la sai — finché
non la capisci veramente — puoi soltanto
afferrarne qualche stralcio,
o brandello, e non senza un aiuto dall'esterno:
da macchine, uomini, uccelli. Ma
ricordati, » disse, « che l'essere ignota non
impedisce alla verità d'essere vera. »
Ciò detto, disparve.

È venuto il momento di aprire il regalo. I regali di latta e lustrini si sciupano subito, e via. Io invece ho un regalo migliore, per te.

È un anello, da metterti al dito. E brilla d'una luce tutta sua. Nessuno può portartelo via; non può essere distrutto. Tu sei l'unica al mondo che riesca a vedere l'anello che io oggi ti dono, come io ero l'unico in grado di vederlo quand'era mio.

*Q*uesto anello ti dà un nuovo
potere. Messo al dito, potrai levarti in volo
con tutti gli uccelli dell'aria —
vedere attraverso i loro occhi dorati —
palpare il vento che sfiora le loro vellutate
piume — e potrai quindi conoscere
la gioia di sollevarti lassù, in alto, al di sopra
del mondo e di tutte le sue pene.
Potrai restarci quanto ti parrà, su nel cielo,
al di là della notte, e oltre l'alba.
E quando avrai voglia di tornar giù di nuovo,
vedrai, tutte le tue domande
avranno risposta e tutte le tue ansie si
saranno dileguate.

Al pari d'ogni cosa che non
può toccarsi con mano o vedersi con gli occhi,
il tuo dono si fa più potente via via
che lo usi. Dapprincipio l'impiegherai solo
quando sei fuori di casa, all'aperto,
guardando l'uccello insieme al quale voli.
Ma poi, più in là, se l'adopri
ben bene, funzionerà anche con quegli uccelli
che non vedi; finché t'accorgerai

che non t'occorre né l'anello né l'uccello
per volare al di sopra delle nubi,
nel sereno. E quando arriverà per te quel
giorno, tu dovrai a tua volta donare
il tuo dono a qualcuno che sai ne farà buon
uso; costui potrà apprendere, allora,
che le uniche cose che contano son quelle fatte
di verità e di gioia, e non di latta
e lustrini.

*R*ae, questo è l'ultimo anniversario che
festeggio con te in modo speciale.
Dai nostri amici uccelli ho imparato quanto
segue. Non posso venire da te,
perché già ti sono accanto. Tu non sei
piccola, perché già sei cresciuta: sei grande e
giochi con il tempo e la vita — come tutti
facciamo — per il gusto di vivere.

Tu non hai compleanno, perché sei
sempre vissuta; non sei mai nata,
e mai morirai. Non sei figlia di coloro che
tu chiami papà e mamma, bensì
loro compagna d'avventure, in viaggio alla
scoperta delle cose del mondo,
per capirle.

Ogni regalo che ti fa un amico
è un augurio di felicità: così pure questo
anello.

*V*ola libera e felice, al di là dei compleanni, in un tempo senza fine, nel persempre. Di tanto in tanto noi c'incontreremo — quando ci piacerà — nel bel mezzo dell'unica festa che non può mai finire.

Finito di stampare nel mese di ottobre 1990
dalla RCS Rizzoli Libri S.p.A. - Via A. Scarsellini, 17 - 20161 Milano

Printed in Italy

BUR
Periodico settimanale: 21 novembre 1990
Direttore responsabile: Evaldo Violo
Registr. Trib. di Milano n. 68 del 1°-3-74
Spedizione abbonamento postale TR edit.
Aut. n. 51804 del 30-7-46 della Direzione PP.TT. di Milano

RICHARD BACH
nella

Il gabbiano Jonathan Livingston

RICHARD BACH

FOTOGRAFIE DI
RUSSELL
MUNSON

IL BEST-SELLER DEL SECOLO

BUR

SUPERBUR

BIBLIOTECA UNIVERSALE RIZZOLI

RICHARD BACH

Un dono d'ali

SUPERBUR

BIBLIOTECA UNIVERSALE RIZZOLI

Richard Bach
ILLUSIONI
Le avventure
di un Messia riluttante

L'autore di
Il Gabbiano Jonathan Livingston

SUPERBUR

BIBLIOTECA UNIVERSALE RIZZOLI

RICHARD BACH

Un ponte sull'Eternità

una storia d'amore

L'autore di IL GABBIANO JONATHAN LIVINGSTON